P9-DBR-324

Savais-tu?

Les Rats

Savais-tu?

Les Rats

Alain M. Bergeron
Michel Quintin
Sampar

Illustrations de Sampar

ÉDITIONS
MICHEL
QUINTIN

Catalogage avant publication de Bibliothèque et Archives nationales du Québec et Bibliothèque et Archives Canada

Bergeron, Alain M., 1957-

Les rats

(Savais-tu? ; 7)
Pour enfants de 7 ans et plus.

ISBN 978-2-89435-195-6

1. Rats - Ouvrages pour la jeunesse.   2. Rats-Ouvrages illustrés. I. Quintin, Michel . II. Sampar. III. Titre. IV. Collection.

QL737.R666B47 2002   j599.35'2   C2002-940711-7

Révision linguistique : Maurice Poirier

Le Conseil des Arts du Canada
The Canada Council for the Arts

SODEC
Québec

Patrimoine canadien   Canadian Heritage

La publication de cet ouvrage a été réalisée grâce au soutien financier du Conseil des Arts du Canada et de la SODEC. De plus, les Éditions Michel Quintin bénéficient de l'aide financière du gouvernement du Canada par l'entremise du Programme d'aide au développement de l'industrie de l'édition (PADIÉ) pour leurs activités d'édition.

Gouvernement du Québec – Programme de crédit d'impôt pour l'édition de livres – Gestion SODEC

Tous droits de traduction et d'adaptation réservés pour tous les pays. Toute reproduction d'un extrait quelconque de ce livre, par procédé mécanique ou électronique, y compris la microreproduction, est strictement interdite sans l'autorisation écrite de l'éditeur.

ISBN 978-2-89435-195-6
Dépôt légal - Bibliothèque et Archives nationales du Québec, 2002
Dépôt légal - Bibliothèque et Archives Canada, 2002

© Copyright 2002

Éditions Michel Quintin
C.P. 340, Waterloo (Québec)
Canada J0E 2N0
Tél.:   450 539-3774
Téléc.: 450 539-4905
www.editionsmichelquintin.ca

0 7 - M L - 2

Imprimé au Canada

Savais-tu que les rats sont des rongeurs?
On en retrouve dans le monde entier.

Savais-tu qu'il y a plusieurs espèces de rats, mais que seuls le rat surmulot et le rat noir vivent près de l'homme? Ils habitent les villes, villages, fermes et ports.

Savais-tu que le rat surmulot est le plus répandu de tous?
Il porte plusieurs noms, dont rat de Norvège, rat brun,
rat d'égout, rat gris et rat d'abattoirs.

Savais-tu qu'on le trouve dans les maisons, les granges, les silos, les entrepôts, les dépotoirs, les égouts et les cales de bateaux?

Savais-tu qu'on estime que dans les villes, il y a 4 rats pour une personne? Et c'est encore plus à la campagne.

Savais-tu que les rats creusent des terriers extrêmement élaborés? C'est là qu'ils aménagent leurs nids.

Savais-tu que les rats creusent leurs terriers sous des bâtiments, dans les déchets d'un dépotoir et dans les champs avoisinants?

Savais-tu qu'en plus d'être de bons fouisseurs, les rats sont d'agiles grimpeurs et d'excellents nageurs?

Savais-tu qu'ils se nourrissent, entre autres, de fruits, de légumes, de grains, d'animaux, de charogne et de déchets? En fait, ils mangent presque de tout.

Savais-tu que les rats peuvent s'attaquer aux petits animaux de ferme comme les poules, les canards et les porcelets?

Savais-tu que les rats sont très intelligents? Et s'ils apprennent vite à éviter les appâts empoisonnés, c'est en grande partie grâce à leur odorat très fin.

Savais-tu que c'est, entre autres, parce que le rat est très prolifique et qu'il a une remarquable facilité d'adaptation que l'homme ne peut l'exterminer?

Savais-tu que, dès l'âge de 14 semaines, la rate peut avoir des ratons?

Savais-tu que, lorsque la rate est en chaleur, elle peut s'accoupler avec plus de 6 mâles différents?

Savais-tu que les rates ont en moyenne 6 portées par année? Mais elles peuvent en avoir jusqu'à 12.

Savais-tu que les rates ont en moyenne 8 ratons par portée? Mais elles peuvent en avoir jusqu'à 22.
Les ratons naissent nus et aveugles.

Savais-tu que, dans des conditions idéales,
un couple et sa progéniture pourraient, en 3 ans,
engendrer jusqu'à 20 millions de descendants?

Savais-tu que les rats vivent en groupes familiaux
très hiérarchisés où les plus gros mâles dominent?

Savais-tu que les membres d'un même clan se reconnaissent à leur odeur?

Savais-tu que, agressifs et extrêmement combatifs, les rats ne tolèrent aucun individu de colonie étrangère sur leur territoire?

Savais-tu que le vainqueur va même parfois jusqu'à imprégner d'urine son rival défait?

Savais-tu que le rat blanc utilisé dans les laboratoires est en fait une variété albinos du rat surmulot?

Savais-tu que le rat a beaucoup d'ennemis? Homme, chat, chien, renard, coyote, oiseaux de proie et d'autres encore le pourchassent.

Savais-tu qu'à l'état sauvage l'espérance de vie du rat est d'environ 3 ans?

Savais-tu qu'on considère le rat comme le mammifère le plus destructeur au monde?

Savais-tu qu'il occasionne chaque année des pertes énormes à l'homme en consommant et en contaminant sa nourriture? Il cause aussi beaucoup de dégâts en rongeant les fils électriques, la structure des bâtiments, etc.

Savais-tu que 100 rats dans un entrepôt peuvent en une année manger une tonne de grains?

Savais-tu que ces mêmes 100 rats peuvent en une journée souiller le grain avec 5 000 crottes et un litre d'urine?

Savais-tu que le rat transmet à l'homme de nombreuses maladies mortelles, dont la peste? D'ailleurs, les rats sont probablement responsables de la mort de plus d'humains que toutes les guerres et révolutions réunies.

Ce document a été imprimé sur du papier contenant 100 %
de fibres recyclées postconsommation, certifié Écolo-Logo
et Procédé sans chlore et fabriqué à partir d'énergie biogaz.

Ce tirage aura permis, à lui seul, de sauver
l'équivalent de 8 arbres matures.